KB096308

저자소개

명상철학가

저서

「마음과 자연과 사색에 대하여」

「삶과 사색에 대하여」

사람꽃

발 행 2016년 03월 03일
저 자 박찬우
펴낸곳 주식회사 부크크
주 소 경기도 부천시 원미구 춘의동202 춘의테크노파크2차 202동 1306호
전 화 (070) 4084-7599
E-mail info@bookk.co.kr

ISBN 979-11-5811-792-4 (발급 ISBN)

www.bookk.co.kr

사 람 꽃

박찬우

목 차

머리말

마음속에 꽃이 있다.
그 꽃이 있어 행복하다.
군데군데 피어 있다.

그런 꽃들이 모여 있는 곳은
아름답고 향기가 넘치는
사람 꽃밭이다.

2016년 2월 백마산에서

제 1 장 마음에 대하여

향 꽃 1

채색된 모습에
불 드리우니

마음은 꽃향기 되어
허공을 가르고

몸은 재가 되어
흙으로 돌아간다.

향 꽃 2

밖으로 드러내지
않은 불꽃이기에

사색이란 꽃으로
허공을 계단 삼아

하늘 끝 은하에
직녀성으로 피어난다.

마음속에 들어올 이 없는데

누군가에 의해서
마음이 힘들다고 한다.

아무도 마음속으로
들어올 수 없는데

스스로 볶아 힘들게 함을
알아차려야한다.

좋은 감정만 갖고 싶은데

좋은 감정만 가지면서
만남을 계속하고 싶다.
그러나 오늘 역시 서운한
감정도 만들어진다.

선악의 구도로 바라보는
마음의 한계인 것이다.
그래도 오늘 좋은 감정이
만들어 졌다면 된 것이다.

마음이 편하고자 한다면

미워하는 마음이 있다면
그 마음을 지워야한다.
그래야 마음이 편해진다.

그런데 마음을 지우개로
지울 수 있는 것이 아니니,
마음대로 지울 수 없다.

단 사랑하는 마음이라면
미움을 지울 수 있다.
사랑하는 마음은 미워하는
마음 이전 마음이기 때문이다.

마음은 어디쯤 자리하고 있을까

마음은 좁은 몸 안
한곳에 자리하고 있다.
몸은 장기로 가득하다.
내 마음 둘 공간이 없다.

그렇다 내 몸 어디에도
마음 둘 곳이 없다.
마음은 몸 안 허공 끝에
머물고 있다.

혼자 있어도

혼자 있어도
자연과 함께

호흡하고 있기에
혼자가 아니다.

사람만 곁에
가까이 없으면

혼자라는 생각이
혼자인 것이다.

몸과 마음의 향기란

몸과 마음에 어떤
향기와 색깔을
채색하여 볼까?
자연이란 물속에
담가 보자.

그리고 바람과
햇살에 맡겨 보자.
자연의 향기와
색깔이면 된 것이다.
사람도 자연이기 때문이다.

처음 마음으로 돌아간다는데

처음 마음으로
돌아가야 하는데
절차가 복잡하다.
돌아가기에 더욱 복잡하다.

마음은 돌아가거나
바로 가는 대상이 아니다.
현재 이 순간 마음먹으면
바로 처음 마음인 것이다.

나를 바라보는 마음도

나를 바라볼 때도
남을 바라보는
냉정한 시각의
마음으로 바라보라.

나를 바라볼 때는
따뜻한 마음으로
바라보기에 차가운
세상과 부딪치고 있음을
알아야 한다.

욕심을 비우라면서

욕심을 비우라면서
영원히 살길을
알려주기 바쁘다.

영원히 살 수 있다고
생각한다면
그것부터 욕심인 것을
알아야 한다.

화를 낸다는 것은

화란 욕심이
채워지지 않아
생기는 마음작용의
하나 일 것이다.

화를 다스리기에 앞서
욕심이 일어나는
마음의 방향을
바꾸도록 해야 할 것이다.

쓸 만한 마음의 체 하나라도

체란 골라내는 도구이다.
그물과는 다르다.
그물은 가두기 위해 사용하지만,
체란 쓸 만한 것만 골라낸다.

다만, 감정의 상태에 따라
체의 구멍 크기가 변화하지 않도록
마음의 체를 평상심으로
잘 유지함이 필요로 한다.

생각은 스쳐가는 유성별

문득 마음의 문
두드리고 다가오는
맑은 생각

깊은 허공 끝
마음에서 보낸
보석 별

유성처럼
빠르게 왔다가
사라져간다.

마음이 있을 곳은

생각을 많이 하였는데
세상에다 펼치지 못해
답답하다고 생각한다면
마음을 세상에다 가두는 것이다.

마음의 세계는 허공과 같다.
무한한 생각들의 세상이다.
그곳에 생각의 날개를 펼쳐라.
생각은 자유로운 우주가 되어 진다.

마음속을 찾아가는데도

본래 마음을
찾아 가는데도
세상의 방식을
따라야 한다면,

본래 마음을 찾아
갔다고만 말할 뿐,
세상의 방식에 더욱
동참하는 것이다.

마음 둘 곳을 사람에게서

마음 둘 곳을
사람에게서 찾으려한다.
그러나 찾을 수 없다면서
무척 허허롭다 한다.

마음 둘 곳이 사람이라면
잘못 찾고 있는 것이다.
마음은 각자 한사람에게만
잠시 머물기 때문이다.

생각이 달라도 행복하다면

나는 이렇게 생각해서
행복한 마음이다.

너도 나처럼 생각해서
행복한 마음이니?

"아니요 그런데 행복해요"
라고 말 할 수 있다면

생각은 다르지만 마음이
행복하다면 된 것이다.

누군가를 원망하는 것이란

일이 안되거나 힘들 때
누군가를 원망하기 쉽다.
누군가를 잘 살펴보아라.

자기의 모습이 누군가에게
웅크리고 있을 것이다.
누군가를 탓한다는 것은

내 마음속에서 지워야 할 내가
누군가에게 있음을 알아야 한다.

마음을 비우라는 것은

마음을 비우라는 것은
몸속에 존재하는 마음을
비우라는 것일까?

마음속에서 꿈틀대는
욕심이란 작은 티끌을
골라내라는 것임을
말하는 것이다.

마음이 소중함을

물질은 살아가는데
소중한 것이지만

물질이 소중하다는 것을
마음이 알아차리기에

마음은 소중한 것이다.
마음이 있고 물질이 있다.

욕심이 상처일까

욕심을 드러내어
보였는데
채워지지 않으면
마음의 상처를
입었다고 한다.

욕심이 채워지지
않았다면 그뿐
마음의 상처하고는
무관함을 알아야 한다.

살아 있는 것만으로

우린 살아 있어서
이미 행복한 것이다.

불행하다고 생각한다면
욕심이 채워지지 않아

불행하다고 느끼고 있을
뿐임을 알아야 한다.

마음은 허공일까

시선을 내안에 두어보라.
칠흑처럼 어두운 몸
그 허공 끝에
마음은 웅크리고 있다.

어둠은 밤마다 찾아와
마음을 위로하고 있다.
마음과 허공은
하나인 것이다.

마음속에 별이

반딧불이가 허공에
달빛 그림자를 그린다.

두 손 모아 가슴속에
살며시 담아본다.

그 빛 영롱한 별이 되어
마음속 호수에 새겨진다.

마음 보내기

장작더미를
얼기설기 올려놓는다.

불쏘시개를 얹히고
작은 마음을 밀어 넣는다.

타오르는 불꽃은
하늘을 만나 춤을 춘다.

마음은 허공 끝에
작별을 고한다.

마음이 넓다 하면서

특정한 꽃만
지고지순하여
마음에 다가오는 걸까?

다른 꽃은 꽃이 아닐까?
하나만 사랑하는
옹색한 마음이 묻어난다.

마음으로 본다 해도

객관적 시각으로
마음을 본다 해도
인간적인 관점에서 부터
시작하는 것이라면
주관적인 마음일 것이다.

자연을 닮은 시각으로
나를 포함한 인간을
바라보는 마음이라면
비로소 객관적인 자연의
마음이 될 것이다.

또 다른 집착이라도

마음을 관조하고
사색하는 것도
또 다른 집착으로
보일 수도 있다.

다만 마음속의
집착은 허공속의
구름과 같은 것으로
비와 함께 사라지는
집착을 말한다.

마음을 줄이기보단 1

얼마 안 되는 생각들을
한군데다 몰아놓고
지우려고 애를 쓴다.

그러나 그 마음 작용이
끝나면 지워졌던 생각들은
다시 살아난다.

결국 마음을 줄이려고
고생만 하는 것이다.

마음을 줄이기보단 2

생각의 단상들을
차라리 넓게 확장하여

허공에 마음껏 펼쳐보라.
마음은 허공이기에

생각 또한 허공 속에
걸림이 없게 될 것이다.

마음이 몸 안에 있다고

마음이 몸 안에 있다고
작은 것으로 착각한다.
그리고 통제하려 한다.

그러나 마음은 몸과 같은
물질이 아니기에 그 깊이와
넓이가 우주와 닮아있다.

허공과 같음을 알아야 한다.
마음은 사물이나 대상처럼
통제할 수 없음을 알아야 한다.

마음이 살아 있음을

마음이 살아 있음을
호흡이 들고 나가는
몸을 통해 알 수 있다.

몸이 몸을 통찰할 수 없으니
들고 나가는 것을 느끼는
것은 마음일 것이다.

마음이 살아 있음을
몸을 빌려 알아차릴 수 있다.

마음 작용에도 순서가

보이지 않은 마음 작용에도
순서가 있음을 알아야 한다.
일상에서 목적지를 가기
위해서는 정류장을 순서대로
지나가야 하듯이

마음속에서도 어떤 목적이
설정되면 순서에 입각해
생각을 하여야 한다.
이를 두고 어떤 이는
마음의 수행단계라고 말하기도 한다.

인간사에서 벗어났다는데

번잡한 인간사
홀로 벗어나

자연을 벗 삼고
마음공부를 한다.

주제는 인간에 대한 것이다.
인간이란 무엇인가?

일관된 마음의 눈이란

마음에서 사물의
겉모양과 쓰임새를
바라보는 의식된 마음을
십분의 일쯤 배정하고

사물의 이치와 원리를
바라보는 무의식마음을
잘 정돈하여

자연과 세상을 바라보는
일관된 마음의 눈을 말한다.

제 2 장 자연에 대하여

사람 꽃 1

가을은 나무에겐
너무 힘든 계절이다.
여름 내내 무성하게 키운
나뭇잎들을 속절없이
떨어뜨리기 위해
스스로 목을 졸라맨다.

타는 목마름으로
너무나 고통스러워도
외면적으로 추해 보이지 않고
노랗고 빨갛게 채색된
아름다움으로 승화하고 있다.

사람 꽃 2

자연 속에 살아가는
우리도 나무처럼
젊은 시절 다 보내고

이 가을 때쯤에
어떤 아름다움으로 보일지

우리도 사람이란 자연이기에
아름다운 사람 꽃을
피울 수 있어야한다.

바람은 오늘에 머물지 않는다.

바람이 오늘에 머문다면
이는 바람이 아닌 것이다.

오늘 바람도 어제부터
부는 바람이여서

내일도 오늘 바람인 것이다.
바람은 그냥 세월인 것이다.

한 곳에 머물고자

한 곳에 한 시점에
머물려고 발버둥
칠 필요가 없다.

한 객체로만 계속
살 수 없기 때문이다.

자연은 순환이다.
그냥 자연이기에
자연스럽게 살아가자.

사람답게 태어났는데 1

우린 이미 자연 속에서
사람으로 태어났는데

사람답게 살려고
자연스럽지도 않는
규율과 이념들을 정하고

거기에 맞추다
사람답지 않게 살아간다.

사람답게 태어났는데 2

우린 이미 자연속의
사람으로 태어난 것이다.

그러기에 그 자연 속에서
자연스럽게 살아가면 된다.

그러면 우린 사람답게
살아갈 수 있을 것이다.

문득 봄이 왔구나

문득 봄이 왔구나!
알았더라도
봄을 오게 하지는
않았다는 것을 알아야 한다.

대자연의 이치를
알았다는 것은
대자연의 하나라는 것을
알았다는 뜻일 뿐

대자연과 같은 힘을
가진 것은 아니라는 것을
알아야 한다.

색안경을 끼고 자연을

색안경을 끼고 자연을
바라보아도
자연을 바라보는 것이다.

다만, 색안경을 끼고
자연을 바라보고
있음을 알아차려야 한다.

자연을 보고 느낀다고

특정한 논리로 자연을
보고 느끼고 자연과 일체가
되었다 하면 자연주의 일까?

자연의 입장에서부터
자연을 보고 느끼고 하여야
자연주의임을 알아야 한다.

작은 창문으로 보면서

작은 창문으로 본
하늘엔 별들이 많지 않다.
그 별들은 작은
창문으로 볼 때엔
유일한 별들일 것이다.

또 다른 창문에서도
마찬가지일 것이다.
이곳에서 바라보지 말고
우주에서 열린 마음으로 보라.
우주는 별들로 가득하다.

지구는 이미 다 소중한데

아름다운 지구별은
소중하지 않은 곳이 없다.

그 별 속에 사는 작은 우리는
자기만큼 조그마한 장소를
정하여 소중한 곳이라고 한다.

그곳만을 덮을 수 있는 이불로
지구를 다 덮을 수 있는 것처럼
표현하려고 애를 쓴다.

아무리 아름다운 음악이라도

아무리 아름다운
선율이라도 잠을 깨우는
음악이라면
시끄럽게 들릴 것이다.

잠을 자는 동안은
잠을 통해 자연 속을
거닐고 있는데
이제는 그만 산책하고

인간 세상으로 돌아오라는
호출의 소리이기 때문이다.

항상 자연을 생각한다는데

자연을 느끼고 있다면
자연 속에 있는 것이다.
다만, 자연의 입장에서
나를 생각하고 느껴보라
말하고 싶다.

자연에서 나를 바라보는
시각이란 자연 속에
내가 있음을 잠시도 잊지
않는 것을 말한다.

떠날 것처럼 하여도

어디론가 자연의
아름다운 곳을 찾아
떠나려고 하는 사람이 있다.
그러나 그곳으로 떠나지도
살지도 못할 것이다.

왜냐하면 현재 이곳에 살면서
이미 자연의 소중함을
느끼는 사람이기 때문이다.
그 소중한 자연은 바로
사람이기 때문이다.

아무리 훌륭한 관념이라도

결국엔 관념의
울타리 속에
가두어 둘 것이다.

푸른 풀밭에 자유롭게
살아가는 것만 하겠는가.

우리는 자연이기에
자연스럽게 살아야한다.

아침에 일어나는 것이

잠은 들기도 힘들지만
아침에 잠에서 깨어나긴
더욱 힘들다.

꿈이란 자연 속에서
인간사로 돌아오는 과정이니
힘든 과정인 것이다.

깨어나지 않고 계속
잠을 자는 것이 슬픈 것만
아님을 알아차려야 한다.

자연 속의 잔디란 1

넓은 그라운드에
파릇한 잔디는
잘 관리를 받아서인지

한겨울에도
푸름을 자랑한다.
멋진 경기를 하는데
일조를 하고 있다.

자연 속의 잔디란 2

살아있는 잔디에서
잔디로 태어나
잔디로 살다가
누군가의 발자국에

눌리고 파헤침을 당해도
살아있는 동안
잔디를 낳고 잔디의
거름으로 생을 마감한다.

자연 속의 잔디란 3

돌아간 것이 아니라 그냥
자연 속에 있는 것이다.

우리도 다르지 않음을
알아차려야 한다.

우린 분명 자연 속에 살고
자연의 하나이기 때문이다.

뜨거워도 달아날 수 없는데

뜨거운 태양으로부터
달아날 수도 없다.
태양의 주위를 돌면서
스스로 머리를 식힌다.

지구에 살고 있는
우리는 어디로든
달아날 수가 없다.

한군데 머물러 있으면서
지구와 하나 되어 태양
주위를 돌고 있을 뿐이다.

자연에 살고 있다면서

전원 속에 살면서도
사람 일에 묻혀있다.
전원생활이라 한다.

어쩌다 문득 세상일과
사람 일이 생각난다면
전원에서 자연스럽게
잘 살고 있는 것이다.

찻잔을 넘어 자연을

자연 색깔 우려낸
차 한 잔
자연을 품은 시간이다.

바쁜 일상에서
찻잔 넘어
자연의 창을 여는 시간이다.

자연의 숨결을 담아보는
짧지만 긴 여정
사색의 창을 여는 시간이다.

그냥 자연 속에 있는데

우린 자연이란 너른
마당에 수많은 선을
긋고 길이라 한다.

어디로 가는 길들 일까?
우린 자연이란 마당에
그냥 있음을 알아야 한다.

자연에서 보면

내 몸 자연에서
이산화탄소를 만들고 있다.
외부인 자연에서 원료인
산소를 들여온다.
산소와 이산화탄소가
동시에 공존하고 있다.

그것들을 호흡하는 나는
오늘도 살아가고 있다.
자연에선 둘 다 귀하고
소중한 공기일 뿐이다.

지구는 둥근 별인데

아무리 보아도 평편한
지구가 둥글다는 것이
믿기지 않을 것이다.

그러나 우주 저편에서
지구를 보면 둥근 모습이고
아름다운 푸른 별이다.

내가 아는 것이 맞다.
다만 넓은 진실이 아니라
좁은 진실일 수 있음을
알아야한다.

땅만 보고

새털처럼 가볍고
작은 지구별은
광활한 우주 공간에
둥둥 떠 있다.

그 작은 티끌 같은
지구별에
나는 아주 더 작다.

그런데도 지구별은
어마어마한 큰 땅이라 하고
하늘은 저 멀리에 있다 한다.

우린 자연인 이다.

오늘 그냥 스쳐
가는 사람이라도
소중한 사람이라
느낄 수 있는 이

자연을 닮은 사람이다.

사람은 자연의
일부분 이란 걸
순간에도 잊지 않은
사람이기 때문이다.

이상을 꿈꾼다는 것은

한시도 떠나지 않은
나의 욕심에게서 벗어나

자연과 하나가 되는
이상을 꿈꾸어 보아라.

이상은 공유하는 가치이지
객체의 욕심이 아니기 때문이다.

계절이 바뀐다 해도 우리는

날씨가 차갑다.
주변의 풍경 또한
투명 하여 지고 있다.

기온의 변화에 따라
계절이 바뀐다.

일정한 체온을 지니고 있는
우리는 항상 사계절임을
알아야 한다.

밤을 기다리는 이유는

한낮 태양빛에
가리어진 무대

커튼이 올라가고
광활한 우주의 별

찬란한 마음으로
볼 수 있기 때문이다.

홀로여서 외롭다 하지마라

혼자 살아가는 것 같아도
이미 자연의 품에서
자연으로 살아가고 있다

같은 종족인 인간들과
조금 거리를 두고
살아가고 있을 때

혼자 살아가는 느낌을
느끼고 있을 뿐임을
알아야 한다.

자연인이 되려함은

하늘과 땅 그리고 바람
속에 홀로 있어도
외롭지 않아야한다.

이미 자연과 한 몸이
되었기에 새삼 사람이
그립지 않아도 되기 때문이다.

자연인이 되려하는 것은
이미 스스로 자연스럽기
때문이다.

진흙 속에서 꽃이 피어난다는데

더러움과 깨끗함만을
의미하지 않음이다.
험난한 여정 끝에 희열을
맛봄을 말하기도 한다.

무와 유 그리고 사와 생이
별개가 아니라
자연속의 하나임을 말하고
있음을 알아 차려야한다.

찻잎 떨구고

우주라는 우물 속
푸른 생명 한 잎

그 잎 행여 다칠세라
살포시 입술 다가간다.

내 숨결 파도 되어
생명 바람 일어난다.

우리는 여행자인데

우리는 여행자이다.
영원히 눌려 살 것처럼
머물며 집착하지 마라.

우리는 한 자리에
잠시도 머무를 수 없는
지구의 여행자이다.

우리는 오늘도 광활한
우주를 세월 여행하는
여행자일 뿐이기 때문이다.

제 3 장 사색에 대하여

사색의 샘물

초가을 새벽녘
살짝 서리 내린 물

붉은 아기 단풍잎
손 담근 이쁜 물

깊이 차갑지만
시리지 않는 물

한순간에 다가오는
아! 그런 물

사색다운 사색이란1

잠시라도 동족인
인간에게로
향한 시선을 멈추고

고요한 상태로 자연의
흐름과 나의 마음을
교감 보는 것이다.

가슴에 이는 희열감을
스스로 느끼며 행복해
하는 것이다.

사색다운 사색이란

일상의 생각과 언어에
징검다리를 놓듯이

자연의 바람을
스며들게 하여보라.

그곳에 사색은 머물고
청량감은 벅차오를 것이다.

사색의 향기를 피우며

그 꽃이 장미꽃이면
장미꽃이 피었다 한다.
그 꽃의 향기는
장미향일 것이다.

그 꽃이 사람이면
사람 꽃이 피었다 한다.
그 꽃의 향기는
사색의 향기일 것이다.

사색을 시작 하고 싶다면

사람들에게서 떠나보라.
그리고 생각에 잠겨 보아라.

사색은 이미 시작되고
있는 것이다.

혼자 된 마음을 살펴보는 것이
사색이기 때문이다.

너는 누구냐 하면

너는 누구냐 하고
물어보면 그런
너는 누구냐
하고 되묻는 다면

계속 되묻다가
세월만 가게 될 것이다.
존재를 물어야하는데
본질을 묻고 있기 때문이다

너는 누구냐 하고 묻기보단

우린 인간이란
종으로 분류되어진다.
본질은 인간으로
태어난 것이다.

너는 누구냐고 묻기 보단
어디까지 생각하고
사색할 수 있는 지를
물어야 할 것이다.

사색은 본질에 대한
물음과 답을 구하는 것이
아니라 존재에 대한
고찰을 의미하기 때문이다.

사색의 갈무리는

존재를 탐구하는 사색에
과학이 더해지면
본질을 규명하게 될 것이다.

다만, 그 이전까지는 본질은
신화의 옷을 입고

화려하게 세상 천지간에서
우리를 위로하고 있음을
알아차려야 한다.

지식도 사색과 함께해야

지식을 아무리 많이 습득해도
의식은 쉽게 변하지 않는다.
외부로부터 형성되는
가치가 자기의 의식으로
계속 쌓일 뿐이기 때문이다.

의식의 변화는 외부의
지식이 아니라 사색이란
마음 작용을 통해
마음공간의 확장성으로
변화하는 것이기 때문이다.

가만히 생각한다는데

가만히 생각한다는 것은
기존의 생각을 굳히는
시간을 말하는 것이 아니라

새로운 변화를 모색하는
사색의 시간을 갖는 것을
의미함을 알아차리기 바란다.

사색은 나의 그림자

태양빛 가득한날
그림자 되어
내 발 끝에서
가는 길을 동행한다.

구름 가득한 날에는
가슴까지 올라와
나를 꼭 안아 준다.
사색은 나의 그림자이다.

사색으로 본 지식과 신비

일상의 현상도 지식과
사색을 함께하지 않으면
신비한 것으로 느껴져서
어리석은 신념으로
자리 잡을 수 있다.

지식과 함께하는 사색이
많아질수록 신비한 것으로
포장된 것들이 일상의
현실로 되어짐을 알 수 있다.

단어의 늪이란 1

지고지순한 함의를
품은 단어가 있다.
우리는 그 단어에
모든 생각을 맞추려한다.

단어의 힘은 그렇게
해서 생기게 된다.
그 단어는 궁극으로
우리를 정신적으로 지배한다.

단어의 늪이란 2

사색하며 살아가는 것이
그 어떠한 의미 보다
우선해야 한다.

단어의 틀 속에 붙잡혀
살아가는 것은
부자연스러운 것이다.

단어의 의미가 없이도
자연스럽게 살아갈 수
있을 때 사람이다.
사람은 자연이기 때문이다.

단어와 말에도 허상이

그림이나 조각의
형상에서
허상을 보았다고
생각한다면

단어와 낱말의
뜻에도
허상이 있음을
알아차려야 한다.

사색하는 마음이란

사물을 바라보는
시각 뿐 아니라

사물을 바라보는
마음의 속삭임을

귀 기울려 들어보는
마음인 것이다.

사색하는 마음이란 2

생각이 많아져서
더욱 간결해지고

생각이 깊어져서
더욱 투명해 진다면

사색하는 마음인 것이다.

사색하는 것일까

사색하라 했더니
마음의 형태에
대해서 이야기를 한다.

사색은 마음의
형태를 이야기
하는 것이 아니라,

마음이 나에게
들려주는 속삭임을
알아차리는 것이다.

나를 생각하여도

현재에서 미래를
생각하지 말고
미래에서
현재를 생각하라.

과거에서부터
생각이 미래가 되면
미래 또한 과거가
되기 때문이다.

사색하는 실존이란

실존이란 현재의
나의 존재를
인식하는 것이다.

또한 대자연 속에서
소자연인 나를
지금 이 순간에
느끼는 것이다.

사색의 꽃과 고운님

맑은 샘물
사색 꽃잎 드리우고
고운님 기다린다.

밤새 먼 길
달려온 고운님
사색 향기로 다가온다.

사색 꽃잎은 일급수
고운 마음에서
사색 꽃으로 피어난다.

언어라는 옷을

객체로서는
시작과 끝이 있는
생명체인데

사용하는 언어는
생사를 초월하는
의미뿐이다.

불멸적인 뜻이
가득한 언어의
사용은 실존에
집중하지 못하게 한다.

가로등

홀로 서 있다고
외로워하지 마라.

살갑지는 않아도
몇 미터 거리를 두고

그대를 비추어주는
친구는 세상에 가득하다.

사색으로 밤을 지새워도

이 밤 뜬 눈으로 지샌다면
그대는 청춘이다.

우리의 젊은 초상들이여
이 밤의 끝을 잡고
날줄과 씨줄을 엮어보라.

밤새 태양 뒤편에서 숨죽이다
새날 새 옷을 갈아입는다.
다시 보는 태양은 눈부시다.

사색의 시작은

생각이 맞지 않아도
이해할 수가 있다면

사색은 시작된 것이다
이해한다는 것은

사색의 창을 열어
놓은 것이기 때문이다.

사색하는 것과 욕심이란

어떠한 일을 도모하다가
뒤를 돌아본다면 이는
사색하는 것 일 것이다.
반면에 이것과 저것들 중에

어떠한 것을 할까 망설이는 것은
다 하고 싶어 하는
욕심일 수 있음을
알아 차려야 한다.

고전을 통해 세월을 얻었기에

이미 오천년을 살아 온
마음이기에
지금 백년에 모든 것을
걸지 않을 것이다.

지금 살아가는 세월은
덤과 같은 것으로
자연 속에 마음의 여유로움이
배가 될 것이다.

아침마다 명상과 사색을 1

태양을 향하는 아침
눈부신 햇살들이
화살 되어 내리 꽂는다.

폭포수처럼 쏟아진다.
한꺼번에 맞으면 아프다.

그 아침 명상과 사색은
환희와 통증 막아내는
새로운 방패가 되어진다.

아침마다 명상과 사색을 2

마음속 깊은 곳에
자연과 닮은
마음의 집이 있다.

아침에 일어나
사색을 하고
잠시 명상의 시간 속으로

산책 할 수 있는 것은
자연이 마음속에
있음을 알아차려야 한다.

서로 대화는 하고 있는데

사색하는 마음으로
뜻을 전하는데

머리로 생각을 보내온다.
분명 서로를 붙잡고

대화를 나누고 있는데
공허만을 나누고 있다.

어제의 허물을 벗는 것이란

어제의 허물을
오늘도 후회
하고 있는가?

그렇다면 오늘 또한
어제의 허물 속에
있는 것이다.

오늘의 허물은
허물이라 하지 않는다.
아직은 허물을 짜고
있기 때문이다.

음식 이전에 생명임을

맛있는 음식이라면
보는 것만으로 행복해
방긋 웃게 될 것이다.
맛있는 음식이기 이전에

한 생명체였음을
알아차리고 그 생명에
감사함을 느끼는 이는
사색하는 이 일 것이다.

매 순간이 새날임을

매일 눈을 뜨는 날이
새날이 된다.

우린 한순간도 눈을
깜박거리지 않을 수 없다.

우리는 매 순간
새날에 살고 있는 것이다.

매일 하나씩만

오늘부터 하나씩
이라도 고쳐보라

오늘은 하나라도
고치면 된 것이다.

오늘 안 고치고 내일 또
내일 해서 문제인 것이다.

길이 목표일까?

길은 목표가 아니라
그냥 길 일 뿐이다.

길을 가는 것이 아니라
길을 호흡하는 것이다.

살아가는 것이 길이다.
그리고 그것을 생이라 한다.

물질이 기본은 있어야

욕심을 비우고 살라하니
물질이 기본은 있어야
한다면서 물질의 기본을
찾으려 한다.

그러나 물질의 기본은
많을수록 좋은 것이니
기본 찾으려 평생을
다 보내는 형상이 됨을
알아야 한다.

물질은 기본만이라도

물질의 기본을
충족하기 위한 행위를
일정시점 멈추고
기본은 없다하고 살아보라.
그렇게 한번 살아보면

물질은 기본은 있어야
한다고 말하기 보단
물질은 부수적으로
따르는 것이라고 말할 것이다.

제 4 장 애정에 대하여

그리운 대상이란

누군가를 그리워
한다는 것은

그 누군가의 대상에서
나의 그리움을

발견했기 때문이다.
그래서 자기라 한다.

사랑하기도 전에 헤어졌는데

사랑하기 전에 헤어졌다.
가슴이 먹먹하고 있다.
가슴이 미어지고 있다.

가슴이 시리고 있다.
가슴이 아프고 있다.
그래서 사랑했다고 생각한다.

사랑하고 있다 해도

흐린 어느 봄날
그 마음 헤아리고
감싸주는 실바람은
사랑하는 바람일 것이다

사랑한다 말하고 있어도
고여 있는 골바람처럼
맴돌고 있는 바람이라면
혼자 있는 외로움만
느끼게 하는 바람일 것이다.

사람에 대한 욕심이 사랑이라고

사람에 대한
욕심이 포장되어
사랑이라고 한다.

착각하지 말아야한다.
그건 사랑이 아니다.

사랑이란 포장지
가려져 있는 욕심임을
알아차려야 한다.

사랑은 내 마음속에

사랑하는 것도
내 마음인 것이다.

내 마음과 일치하는
사랑을 찾고 있으니

이미 내 마음은
사랑인 것이다.

사랑의 아픔이 크다지만

사랑의 아픔이 크다한다.
마음에 사랑이 많이
쌓여 있는 것이다.

이는 상대가 멀리 있어
사랑을 주지 못할 뿐이기에
아파할 이유가 없다.

사랑하고 싶거든

사랑하는 마음에서
멈추어라.

사랑하는 마음
다음에는

미워하는 마음이
시작되기 때문이다.

사랑을 남겨 놓으려면

사랑을 남겨 놓으려면
바닷가 모래위에도
남기지마라.
파도가 밀려와 부딪쳐도
모래는 남아 있기 때문이다.

사랑을 남겨 놓으려면
지우지 못하는
마음에다 남겨라.
미움을 남기는 것
보단 훨씬 덜 아프다.

사랑하는 사람이라도

미운 생각도 같이
떠오른다면

사랑하는 마음도
미워하는 마음도

함께 있으니
결국 그냥 무심한

사람과 별반 차이 없음을
알아야한다.

사랑은 불꽃이기에

제대로 사랑을 하였는가?
사랑한 이후엔
재만 남을 것이다.

사랑은 불꽃이기 때문이다.
다 타고 남은 재를
뒤적거리지 마라.

흔적을 찾아 무엇 하겠는가.
사랑은 불꽃이기에
한동안 잘 태우면 된 것이다.

제 5 장 가족에 대하여

아무리 귀여운 자식이라도

자식이 태어날 때
울음 터트리는 소리
배고파서 우는소리
놀이터에서 떠드는 소리

얼마나 아름답게 들리는가?
부모로서 살아가면서
내는 온갖 목소리는 과연
얼마나 더 아름다울까?

우리는 잊고 살고 있다.
우리들의 목소리가 맹수를
닮아간다는 것을.
조용히 살아야 한다.

자식은 또 다른 나일까

흘러야 하는 것이
자연의 이치인데
온갖 생명체들은
머물러 있고자한다.
결국 씨앗을 남긴다.

또 생명이 탄생한다.
나의 분신이라며 매달린다.
본능의 또 다른 이름임을
알아야 한다.

어린 자식의 말에

어린 자식의 말에
귀 기울여 보라.
사람과 자연이 다름을

느끼지 못하는 어린 시절
그 꿈을 기억해
내는 것만으로도

아직은 미래를
꿈꿀 수 있을 것이다.

자식의 사진 속에서

자식의 사진을 놓아두고
사진 속의 자식을 위해
열심히 부모 노릇 하려고 한다.
아름답고 숙연하기도 하다.

자식의 사진을 통해 부모의
어린 시절의 순수했던
마음을 잊지 않은 또
다른 계기가 되어진다면
그 모습이 더욱 아름다울 것이다

가족 역시 여행자인데

이방인이라도
여행길에서 만나면
소중한 인연으로
서로를 존중하고
보살펴 주려고 노력을 한다.

가족 역시
여행길에서 만나서
좀 길게 같이
여행하는 동반자임을
잊지 말아야 한다.

부부 사이에도 경쟁하는

부부 역시 사랑하는
한 가족이다.
경쟁하고 순위를 가르는
그런 관계가 아니다.
그러나 분명 다른 사람이다.

다름을 인정하고
서로의 장점과 단점을
파악하고 이해하면서
살아가는 존재임을
알아야 할 것이다.

어린아이에게 집이란

어린 시절에 큰집이었던 것도
어른이 되어보면 작아 보인다.
어머니의 가슴도 지금
보면 한 뼘도 안 된다.

어머니를 기다리는 시간은
왜 그리 긴지 어린 시절의
집은 어머니까지 포함한 집이
집이었음을 잊지 않아야 한다.

같은 혈연이라도 1

같은 형제라도
핏줄은 같으나
특성은 다 다름을
알아야한다.

어릴 적 같은
형제이기에 같다고
판단하지 마라.
그렇다면 유사 이래로
같은 사람들만 있을 것이다.

같은 혈연이라도 2

성장을 거듭할수록
다르고 다른 것이
혈연지간임을
알아야 한다.

그러니 부모를 향한
자식의 역할도 각자
몫이니 비교하거나
따라 하지 않아야 한다.

독신주의도

독신주의도 일종의
결혼의 한 형태이다.

내안에서 또 다른 나를
불러내어 사는 것이다.

어쩌면 더 완벽을 추구하는
결혼의 한 형태 일 수 있겠다.

남녀가 같이 살아간다는 것이

사람이 살아가면서
남녀가 한시도
떨어지지 않고 살기는
현실적으로 어렵다.

남녀가 한집에 같이
사는 것이란 두 가족이
한 지붕에 사는 것이니
대가족임을 알아야 한다.

부부가 같이 살면서도

물질을 주고받은 것
외에는 다 불편해 하는
모습을 보이는 관계라면
물질이 배우자가 될 것이다.

물질은 호흡도 없으며
마음은 더더구나 없으니
홀로 외롭게 살아가는
사람임을 알아야 한다.

부모의 결혼생활이

부모의 불행한 결혼생활이
평생을 독신으로 살아가는
이유가 된 사람이 있다.

부모의 잘못이 크다 해도
자식은 그것을 알았으니
이미 다르다는 것을 알아야한다.

집안에 공기의 흐름이

집안이 정리가 되고 안 되고를
말하는 것이 아니다.
살림이 모아져 있고 흩어져
있는 것이 큰 대수는 아닐 것이다.

다만, 놓여 있는 살림살이가
흐름이 있느냐 여부를 말한다.
흐름이 있다면 한 생각으로
숨통이 열려 있음을 말하기 때문이다.

가족 간의 공동생활은

가족 간의 공동생활은
서로 간의 배려에서 부터
시작하여야 할 것이다.

서로 급하고 느긋해서
탈이라 한다.
이는 상대적 관점일 뿐이다.

지금은 혼자 있지 않고
공동생활을 하고 있음을
이해함이 중요하다.

부모에 대한 바람이

어른이 되었어도
부모에 대한 갈망이 남아 있다면
그대는 꿈이 살아 있는 것이다.

부모를 보고 원하는 것을
갈구하기 보다는
그대의 꿈을 위해 스스로
노력을 해야 함을 알아차려야 한다.
그대는 이미 어른이기 때문이다.

진짜 좋은 환경이란

환경이 어려운 가운데도
부모가 자기가 원하는
길을 가고 있다면
자식은 좋은 환경에서
자라는 것이다.

부모 자신이 하고 싶은
길이 있는데도 하지 못하고
자식에게 기대를 하면서
올인 하는 환경이라면

자식은 부모의 길까지
가야하는 열악한 환경에
있게 됨을 알아야 한다.

부모가 예술의 길을 가면서도

부모가 예술의 길을
가면서도 자식이
그 길을 가고자하면
힘들다고 말리는 부모가 있다.

재능은 있어 예술을
일로 하고 있을 뿐
예술혼은 자식에게 더
있음을 알아 차려야한다.

부모가 자식에게

자식에게 하지 말라는
말을 달고 산다면
부모 자신들이 가고자
하는 방향으로
자식을 몰고 가는 것이니

자식을 마차를 잘 모는
기수로 만드는 것이 아니라
잘 길들여진 말을 만들고
있음을 알아야한다.

자식만 바라보고

부부가 자식만 바라보고
살다보니 부부 서로는
마주보고 살지 않아
사랑 모양을 그릴 수 없다.

이제라도 서로 마주보아
사랑도 자식 키우듯
해보기 바란다.

자식이 부모에게

자식이 부모를
생각하는 것은
남에게 자선 사업하는
마음과 다르지 않다는 점을
명심해야 한다.

자식이 무엇을
사다 주면 난 이런 것
안 좋아한다고
말한다면 참 어리석다.

가족이란

가족과 함께 있으면
외형은 비슷해서 동질감을
느끼는 데 마음으로는
별로 통하는 구석이 없어
답답할 때가 많을 것이다.

가치가 다르고
공유되어 지는 부분이
적기 때문이다.

혈연이기에 무조건 같아야 한다는
원초적인 고정관념만 접는다면
다소 편안한 사이가 될 것이다.

자식의 말에 아파한다면

자식이 아프게 해도
부모는 아프지 말아야한다.

자식이 지금 부모를
아프게 하는 것

그것마저도 자식이 나중에
아파할까봐
아파하지 말아야한다.

부부지간에도

우리는 평생을 그래왔듯이
잘하는 편과 못하는 편으로
꼭 승패를 나누면서 살아 왔다.
집단주의의 잔재이다.

선착순과 일등주의로
경쟁하면서 살아왔기에
부부지간에서도 승패를 나누어야
직성이 풀리는 것 같다.

제 6 장 세상에 대하여

내가 태어난 시점에서만

나는 어디서 태어나서
무엇 때문에 살고
또한 어디로 가는가?
오로지 내가 태어나서 부터이다.

나에 대한 관심과 생각 속에
빠져들어 아무도 보이지 않는다.
자기만 생각하고 살아가는 세상엔
남들은 없음을 알아야 한다.

산 정상에 있으면서도

제일 높은 데 올라왔다.
산 정상 아래를 바라본다.
탁 트인 하늘이 펼쳐졌다 한다.

산 아래 풍경을 보기 위해
산 위에 올라간 것이다.
평지에서도 하늘은 높고도
높은 곳이다.

몇 사람 때문에 떠나고자

우린 사실 사람을 많이
만나고 있지는 않다.
그런데도 자신의 한계로
몇 사람으로 인해 힘들어한다.

그리고 이곳을 떠나 한적하고
조용한 자연으로 가고자 한다.

그러나 그곳엔 더욱 사람이 적어
더 적은 사람에게
더 스트레스를 받을 수
있음을 알아야 한다.

남들은 그렇게 생각 안 한다고

상대방에게 어떠한 사실을
이야기 할 때 다른 사람들은
그렇게 생각하지 않는다고
상대방이 이야기 한다면

그 다른 사람 속에
상대방이 들어 있음을 알고
다른 사람을 설득하기 전에
그 상대방부터 먼저 설득해야함을
알아차려야 한다.

사는 곳이 답답하다고

탁 트인 사거리가
좋다고 하는 이가 있다.
그렇다면 사막에서는
사거리가 어디 있겠는가?

그냥 바닥에 선을 그으면
사거리가 될 것이다.

아무리 좁은 공간이라도
동서남북을 나눌 수 있다.
그리고 하늘은 항상 열려있다.

무심한 비도

사막에는 비가
오지 않는다.
비도 머무를 곳을
찾아 내리기 때문이다.

하물며 사람이
찾아온다면
그 또한 머물고자
오는 것이니
이미 내어줄 것이
있음을 알아야 한다.

직접 경험들만 가지고

내가 겪어 보지 않으면
알 수 없다고 한다.
내가 겪어본 것 외는
그 사실을 인정하지 않기에

지극히 소수의 경험을 가지고
다수의 경험을 이기려 한다.
또 다른 이도 그러하니 서로
대화가 되지 않는다.
각자의 경험만이 주는 한계임을
알아야 한다.

책이 있어서 든든할까

책을 집안 가득 쌓아
놓는 이가 있다.
책이 많이 있어서
든든하다고 한다.

책은 많이 있어서
든든한 것이 아니라
그 책들 속에
든든한 마음이 있다는 걸
교감할 때임을
알아차려야 한다.

충고를 한다고 하면서

충고를 한번 한다면
그 사람을 위한
충고가 되지만

계속 되풀이하여
충고를 하다면

충고하는 이가 원하는
방향으로 가기를
강요하는 것임을
알아차려야 한다.

나이가 들어가면

나이가 많다는 이유로
젊은이의 조언을
전혀 듣지 않는 이 있다.
무슨 말을 하면 내버려 두라한다.

타고난 대로 살지
어떻게 하겠느냐고 반문한다.
태어난 대로 산다면 아직도
유아적 성질을 가지고 있음이다.

타고난 성질도 이성적으로
통제할 수 있어야 진정 어른임을
알아차려야 한다.

나이를 먹어가도

과거의 어느 시점에
아직 정신적으로 성장이
부족한 상태에서 만들어진
좌표와 신념들이

훌쩍 나이 먹어
성장을 마친 후에도
계속된다면
성장이 숙성되지 않았음을
알아차려야 한다.

분명 꽃을 피우기 전과
후는 다르기 때문이다.

청춘이니 귀하다

원초적인 나이를 떠나
열정이 있는 이는
다 청춘의 반열이다.

그 청춘의 소리를
귀 기울여보라.
청춘은 힘이 좋아
잡기가 쉽지 않다.

청춘의 길목에서
밤새 뜬 눈으로 지샐
열정이 필요하다.

어떤 길을 묻더라도

그 길을 앞서 가는 이와
그 길에 도착해 있는 이에게
자문을 구하여야 한다.

그 길과 무관한 이에게
자문을 구하는 것은

붙잡아 주라는 것이거나
스스로 머물고자 하는 것임을
알아차려야 한다.

일이 자기라는데

일을 자기와 동일시
하는 이가 있다.
일이 완성되면
자기가 완성된다고 한다.

일이 완성되면
일이 완성된 것뿐이다.

사람은 더욱 사람다워야
사람으로서의
완성에 가깝게 됨을
착각 말아야한다.

다 하고 싶어도

이것도 하고 싶고
저것도 하고 싶어 한다.
전문가는 그중에 하나를
택하여 매진한다.

잡화점처럼 다 모아
취미생활을 한다면
내 인생 시간의 대부분을
취미 생활로 보내고 있음을
알아야 한다.

시간이 돈이라고

시간이 돈이라고
생각하기보다는

내 인생이 돈이라고
생각해보라.

돈 벌려고 하는 시간도
아깝게 생각될 것이다.

자기만의 판단으로

남에게 이야기할 때는
주관적인 관점으로 말하면서
제삼자의 입장이라 하고

누군가가 객관적으로
자기에게 이야기해주면
본인의 주관적인 판단만으로
상대방의 의견을 주관적이라 한다.

생각이 이분법에

어떤 상대방과 관계에서
내가 결정한 판단을
제삼자에게 확인할
여지를 갖지 않는다면

이미 상대방은 틀렸다고
생각하고 있음을 알아
차려야 할 것이다.

관점이 다르면 1

우리는 살기 위해
타 생명체를 한 끼니도
담보하지 않을 수가 없다.

우리를 살리기 위해
음식을 주는 이는
우리에겐 선이 될 것이다.

그러나 타 생명체에선
목숨을 앗아가니
그는 악이 될 것이다.

서로 다른 관점이란 2

서로의 관점에 따라
같은 것을 다르게 바라본다.
상대적 개념이 되어진다.

언어로는 대척점을 이루지만
실제로는 같은 것을 말하고 있다.
상대적 가치로 구분하여 보면서

자기 관점만 절대적 가치로
과대평가 하고 있음을
알아차려야 한다.

상대가 부족하다 느껴져도

내가 상대를 바라보는
시각에서 머물면서
상대가 부족하다고
지적하거나 훈계하지 마라.

분명 부족함이 있어도
상대방은 스스로 자신을
바라볼 때 부족함이 없을 수
있음을 알아 차려야한다